© 1997 do texto por Nadine Trzmielina
© 1997 das ilustrações por Angelo Bonito
Callis Editora Ltda.
Todos os direitos reservados.
2ª edição, 2010
7ª reimpressão, 2023

TEXTO ADEQUADO ÀS REGRAS DO NOVO ACORDO ORTOGRÁFICO DA LÍNGUA PORTUGUESA

Pesquisa realizada no Projeto Portinari com coordenação e
administração da Portinari Licenciamentos.
Cromos do acervo do Projeto Portinari.
Direitos autorais de reprodução das obras: João Candido Portinari.
P. 20: *O Lavrador de Café*, 1939. Foto de Paulisson Miura, disponível em:
https://commons.wikimedia.org/wiki/File:%22O_Lavrador_de_Caf%C3%A9%2
2,_1939,_C%C3%A2ndido_Portinari._(MASP,_S%C3%A3o_Paulo,_SP,_Brasil)_
(18001978694).jpg

Coordenação editorial: Miriam Gabbai
Diagramação: Carlos Magno
Colaboração especial: Fausto Neves

CIP-BRASIL. CATALOGAÇÃO-NA-FONTE
SINDICATO NACIONAL DOS EDITORES DE LIVROS, RJ

T81p
2.ed.

Trzmielina, Nadine

Portinari / Nadine Trzmielina ; ilustrações de Angelo Bonito. - 2.ed. - São Paulo :
Callis Ed., 2010.

ISBN 978-85-7416-461-8

1. Portinari, 1903-1962 - Infância e juventude - Literatura infantojuvenil. 2. Pintores
- Biografia - Literatura infantojuvenil. 3. Literatura infantojuvenil brasileira. I. Bonito,
Angelo, 1962-. II. Título. III. Série.

09-5733.		CDD: 927.59981
		CDU: 929:75.036(81)
04.11.09	12.11.09	016173

Índices para catálogo sistemático
1. Literatura infantil 028.5
2. Músicos: Literatura infantil-juvenil 028.5

ISBN: 978-85-7416-461-8

Impresso no Brasil

2023
Callis Editora Ltda.
Rua Oscar Freire, 379, 6º andar • 01426-001 • São Paulo • SP
Tel.: (11) 3068-5600 • Fax: (11) 3088-3133
www.callis.com.br • vendas@callis.com.br

Crianças Famosas

Portinari

Nadine Trzmielina e Angelo Bonito

callis

Candido Portinari nasceu tão pequenininho que logo começou a ser chamado de Candinho. Seus pais, seu Batista e dona Dominga, imigrantes italianos, viviam em uma fazenda de plantação de café chamada Santa Rosa, no interior de São Paulo.

Candinho, ou "Candim", como falam no interior, podia ser pequeno, mas de fraco não tinha nada. Alimentado com leite de cabra era um menino alegre, forte e brincalhão.

Em 1905, quando Candinho tinha 2 anos de idade, sua família se mudou para Brodósqui, povoado que não tinha mais do que 200 casinhas e que, à noite, era iluminado por lampiões a gás. Moravam atrás da Igreja de Santo Antônio.

Seu Batista abriu uma venda que tinha desde farinha, arroz e feijão até peças de armarinho. Dona Dominga trabalhava muito cuidando da casa. Fazia a roupa das crianças aproveitando sacos de farinha e de açúcar que, bem passados e engomados, pareciam de linho.

Candinho passava a maior parte do tempo no campo. Era provocador e briguento.

Gostava de brincar pelos cafezais, correndo com as outras crianças e com os cachorros por horas a fio. No final do dia estava vermelho de terra, dos pés à cabeça.

Se chegasse em casa depois do escurecer ou se tomasse chuva fazendo barquinhos de papel, era castigo na certa.

Desde muito cedo o menino Candinho gostava de desenhar. Pegava uma varetinha, alisava o chão de terra e ficava horas agachado, riscando e rabiscando.

Ficava tão entretido desenhando que nem notava as pessoas que passavam.

— Como pode alguém ficar tanto tempo desenhando no chão? — comentavam.

Às vezes sonhava que um príncipe viria buscá-lo e o transformaria em um grande pintor.

Candinho adorava quando o circo passava na cidade.

Um palhaço, montado ao contrário em um burro que era puxado pelas ruas, anunciava a função do circo. Muitas vezes, de chapelão na cabeça, Candinho puxou o burro com o palhaço que ia gritando:

O Circo, 1940

— E o palhaço o que é?!

— É ladrão de "mulhé"! — respondia a garotada que vinha atrás.

Candinho também brincava com bolinhas de gude, botão, diabolô, ioiô, bilboquê, balão, pião, pique, barra-manteiga e de pular carniça. Adorava empinar papagaio. Junto com seus amigos, divertia-se cantando e ouvindo histórias de lobisomem, mula sem cabeça, saci-pererê e almas do outro mundo. Assustavam uns aos outros.

Meninos com Pipas, 1947

Retirantes, 1944

Mas o que realmente assustava Candinho eram a pobreza e a desgraça que via em sua cidade. As injustiças o incomodavam muito. No grupo escolar onde Candinho estudava, o professor, vigário Josué, era muito amigo das crianças. Transformou a praça em lugar de esportes e brincadeiras e montou um cinema, cujo ingresso eram os pontos ganhos na aula de catecismo.

Apesar de ter uma perna mais curta que a outra, Candinho era bom no futebol. Adorava jogar peladas com seus amigos e com Paulino, seu irmão mais velho, com quem também fazia guerra de travesseiros à noite.

Os meninos tentavam imitar o drible de Candinho, que os enganava com sua perna mais curta, mas nunca conseguiam.

Às vezes jogavam com bola de meia, feita com tiras de papel de embrulho amassado, amarrado com cordão e enfiada em uma meia velha. Às vezes jogavam com bola de bexiga de boi, mas todos tinham de mostrar as unhas do pé. Jogador de unha comprida não jogava para não furar a bola!

Futebol, 1935

Na venda de seu Batista, Candinho subia na cadeira e, com um lápis, desenhava nas folhas de papel de embrulho. Os fregueses, sem reclamar, levavam suas compras embrulhadas em desenhos!

Candinho sonhava com uma caixa de lápis de cor que tinha na venda do compadre Brizzotti. Mas ela custava três mil e quinhentos réis. Ele precisava juntar dinheiro.

Candinho adorava visitar sua *nonna* Maria Sandri em Jardinópolis, uma cidade pertinho de Brodósqui. Lá ele descobriu um ceramista que fazia pequenas moringas. Com dinheiro emprestado da avó, ele as comprava por cem réis cada, pintava uma vaquinha, uma casinha ou um cavalinho e depois vendia por dez tostões. Assim conseguiu juntar dinheiro e comprar a caixa de lápis que tanto queria.

Todos se surpreendiam por ele pintar tão bem.

Sua irmã Tatá sempre pedia que ele fizesse seu retrato. Mas só de pirraça Candinho fazia um retrato pela metade e Tatá abria o maior choro.

Um dia, na escola, Candinho desenhou um leão. Desenhou tão bem que todos os professores comentaram. Daí em diante teve de desenhar a capa de todas as provas para a exposição do final do ano.

Na hora do recreio Candinho trocava seus desenhos pela merenda dos outros meninos!

— Quer barganhar? — perguntava mostrando um desenho.

O amigo pegava o desenho e ficava admirando. Tinha levado uma fruta para comer no recreio. Ia ficar sem merenda, mas o desenho ficaria para sempre. Vencido e com fome, o amigo respondia:

— Quero. — E entregava a fruta a Candinho.

Seu Batista era uma pessoa boa e generosa. Ajudava a todos que pedissem. Sempre foi muito amigo dos filhos. Adorava levá-los em seus passeios e ensinava-os a caçar. Tinha fé em Deus e lia sempre a Bíblia. Sua enorme generosidade acabou obrigando-o a se desfazer da venda para pagar algumas dívidas. Começou então a fazer cadeiras para vender, que dona Dominga e as crianças empalhavam. Mas, apesar das dificuldades, Candinho sabia que havia pessoas ainda mais pobres do que eles.

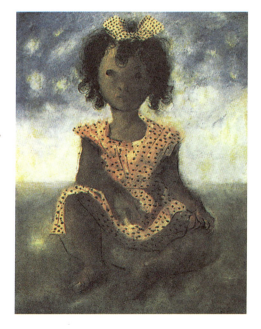

Menina Sentada, 1943

Vendo que o filho desenhava bem, seu Batista foi falar com Zé Murari, que copiava estampas de santos. Zé concordou em dar aulas de desenho ao menino. Ele precisaria trazer uma régua, um compasso, um esquadro e uma caixa de lápis de cor. Apesar do pouco dinheiro, seu Batista conseguiu comprar o material. Mesmo que faltasse um pouco de pão e leite era importante ver o filho feliz.

Na primeira aula, Zé Murari desenhou uma maçã no papel quadriculado. Candindo deveria copiá-la, e se saiu muito bem.

D. Quixote com Ideias Delirantes, 1956

Com 11 anos, Candinho copiou o retrato de Carlos Gomes que estava estampado em um maço de cigarros. Foi um trabalho difícil. Era o primeiro retrato que fazia. Desenhou a cabeleira, o bigode, delineou os olhos e o contorno do rosto com cuidado e sem usar papel quadriculado. Quando Zé Murari viu, até se espantou. Candinho era melhor que o professor!

Foi quando seu Batista começou a pensar que Candinho deveria ir para o Rio de Janeiro estudar na Escola de Belas Artes.

Um dia, o vigário Josué não conseguia explicar ao marceneiro a porteira que queria encomendar. Candinho resolveu ajudar fazendo um desenho.

O padre gostou tanto que pediu para Candinho procurar os artistas que chegariam no dia seguinte para ornamentar a fachada da igreja. Candinho trabalhou como ajudante desses artistas, chamados frentistas, e recebeu 2 mil réis pelo trabalho.

Depois vieram os pintores, e o trabalho ficou mais difícil. Tinha de ser feito em andaimes muito frágeis. Candinho quase caiu mais de uma vez, mas valeu a pena. A ele coube pintar as estrelas.

Festa de São João, 1936-1939

O Lavrador de Café, 1939

Aos poucos, tornava-se um artista.

Em 1918, com 15 anos, Candinho foi para o Rio de Janeiro. Teve medo. O que um caipira do interior de São Paulo iria fazer na capital do Brasil? Naquele tempo, a capital do país era o Rio de Janeiro. Sem amigos, longe da terra roxa e dos cafezais...

Tentou evitar. Inventou uma gripe. Mas a irmã Tatá lhe disse:

— Vai bobo, aqui não há possibilidades!

Candinho saiu correndo e pulou no trem já em movimento.

Passaram-se dez anos de estudos, mas o trabalho não o satisfaria. Queria se libertar da influência da pintura europeia e fazer o que seu coração mandava.

Em 1929, Candido Portinari recebeu um prêmio e ganhou uma viagem para Paris. Lá, no coração da Europa, pensou:

"Daqui vejo melhor a minha terra. Vejo Brodósqui como ela é. Aqui não tenho vontade de fazer nada. Vou pintar aquela gente, com aquela roupa e com aquela cor."

Casa de Brodósqui, 1943

Paisagem de Brodósqui, 1940

Aos poucos, foi redescobrindo suas raízes e começou a pintar as cenas da vida no campo e de sua infância. Lembrou em suas pinturas dos trabalhadores das fazendas de café, que tinham as mãos fortes e os pés grandes, agarrados ao chão como alicerces. Tinham muitas marcas e histórias para contar. Pintou também muitos quadros dos meninos de Brodósqui.

Crianças Brincando, 1940

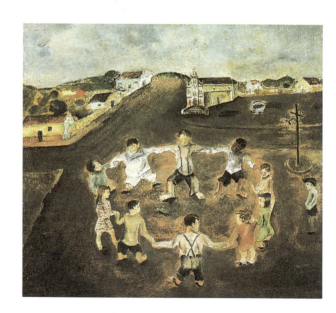

Ronda Infantil, 1932

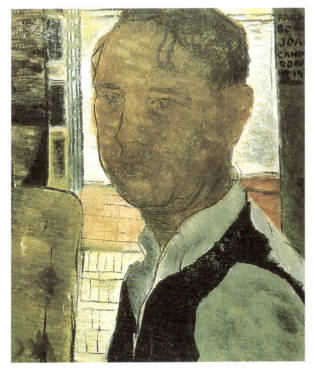

Autorretrato, 1939

Além das pinturas, fez muitos murais. Um deles se chama "Jogos Infantis" e está no Palácio da Cultura, na cidade do Rio de Janeiro.

Candido Portinari morreu em 1962. Sua obra é variadíssima e importante. Além de pintar, também escrevia e fazia poesias muito bem. Em sua primeira poesia, chamada "O menino e o povoado", descreveu sua origem e sua terra:

"Saí das águas do mar e nasci no cafezal de terra roxa."

Seus quadros têm sido muito disputados por colecionadores e admiradores de arte em todo o mundo.

Nadine Trzmielina é autora de livros para crianças e contadora de suas histórias e das de outros. Atua no teatro e na TV como dramaturga e na direção de produções teatrais. Também é artista plástica. Como educadora, participou de projetos culturais e é coordenadora de conteúdos de diversas ONGs. Nas redes sociais, administra páginas de arte e leitura.

Angelo Bonito desenha desde criança. Quando adolescente, trabalhou em agências de propaganda, tornando-se ilustrador. Com estúdio próprio, atua nos mercados publicitário, editorial, empresarial e de artes plásticas.